劉福春・李怡 主編

民國文學珍稀文獻集成

第一輯

新詩舊集影印叢編　第50冊

【陳志莘卷】

茅屋

上海：新文化書社 1924 年 8 月版

陳志莘　著

花木蘭文化出版社

國家圖書館出版品預行編目資料

茅屋／陳志莘　著 — 初版 — 新北市：花木蘭文化出版社，2016
〔民 105〕
162 面；19 ×26 公分
（民國文學珍稀文獻集成・第一輯・新詩舊集影印叢編　第 50 冊）
ISBN：978-986-404-622-5（套書精裝）
831.8　　105002931

ISBN-978-986-404-622-5
9789864046225

民國文學珍稀文獻集成・第一輯・新詩舊集影印叢編（1-50 冊）
第 50 冊

茅屋

著　者　陳志莘
主　編　劉福春、李怡
企　劃　首都師範大學中國詩歌研究中心
　　　　北京師範大學民國歷史文化與文學研究中心
　　　　（臺灣）政治大學民國歷史文化與文學研究中心
總 編 輯　杜潔祥
副總編輯　楊嘉樂
編　輯　許郁翎
出　版　花木蘭文化出版社
社　長　高小娟
聯絡地址　235 新北市中和區中安街七二號十三樓
　　　　電話：02-2923-1455／傳真：02-2923-1452
網　址　http://www.huamulan.tw 信箱 hml 810518@gmail.com
印　刷　普羅文化出版廣告事業
初　版　2016 年 4 月
定　價　第一輯 1-50 冊（精裝）新台幣 120,000 元

茅屋

陳志莘 著

陳志莘，生平不詳。

新文化書社（上海）一九二四年八月出版。原書三十二開。

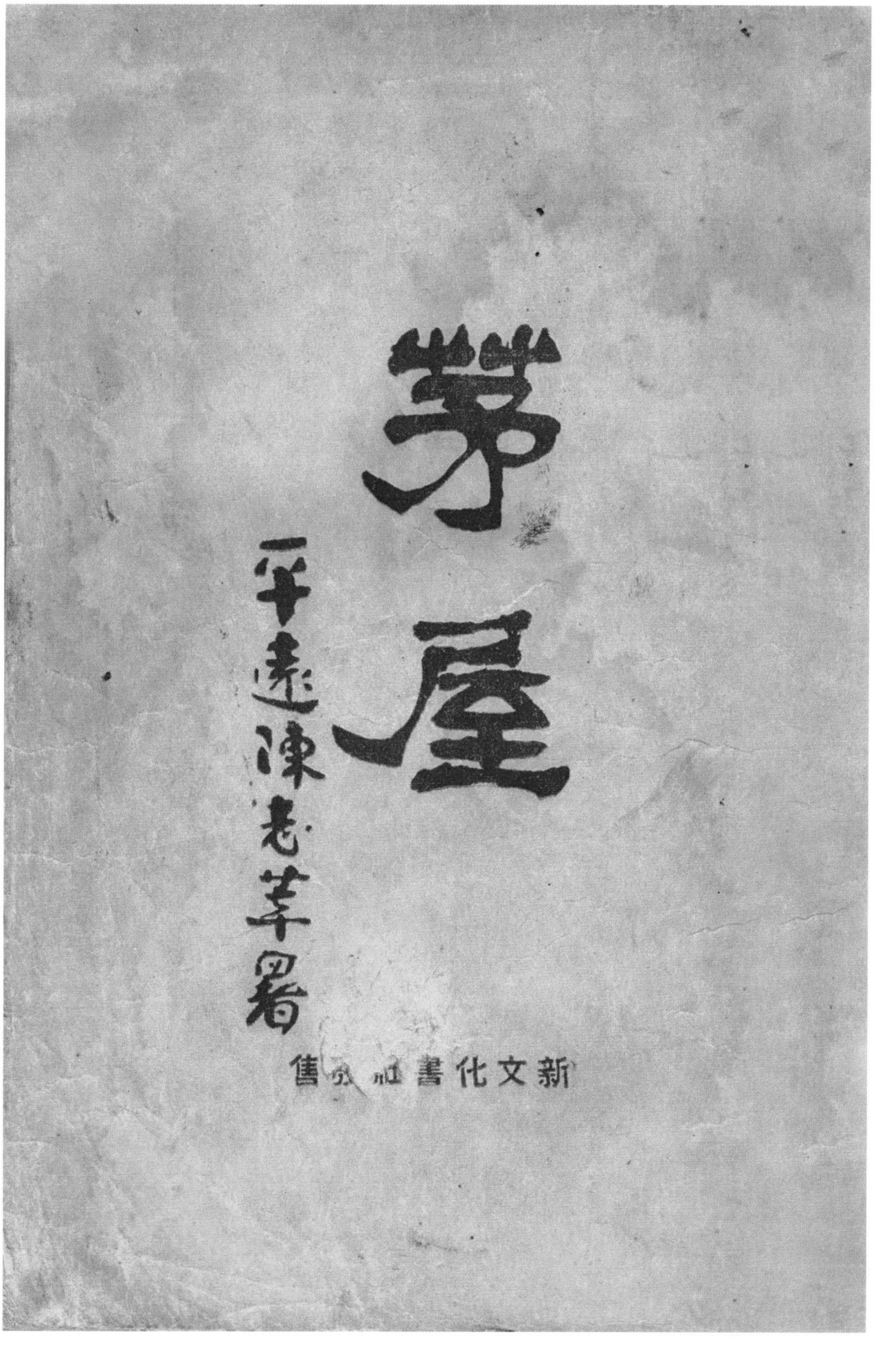
茅屋
平遠陳志莘著
新文化書社發售

題茅屋集祝詩界共和也

江亢虎

春鳥秋蟲天趣多。。心肝嘔盡奈愁何。。
唫壇風倒黃龍纛。。佇看紅旗唱凱歌。。

題詞

王蘊章

覓句懷無已，
哀時哭后山。
斯人老湖海，
吾道屬囏難。
吹萬成孤籟，
先秋作暮寒。
莫嗜風雨捲，
留當錦囊看。

甲子春月

西神王蘊章題

詹序

國風不作頌聲歇；康衢擊壤追陶唐。武城絃誦繼雅樂；壯士歌風思漢皇。屈原宋玉發孤憤；魏晉植幹班馬香。上維八代下李杜，沈浸穠郁含英咀華光焰萬丈長。南華莎語根天籟，頫仰觀察日，月，星，辰，山，河，草，木，鳥，獸，……皆文章。言爲心聲身所主，是以文之所言，心之所思，貴能感人動物知行合一無相妨。詩言主情重美感；其次音韻同笙簧。按節合拍應聲律，謀篇修辭句讀詳。丈夫不屑雕蟲技，須知二南絕響，矇瞍失官，樂府曲奏亦云亡。溫柔敦厚有教義，正聲澎湃在廟堂。旌別淑慝寓箴勸，樂而不淫哀不傷。達觀人生和宇宙，蕩瑕滌垢除不祥。學以養性變氣質，化民成俗爲國光。十九世紀學潮維新多鉅子，文言白話旗鼓常相當。且謂歐美近代文學競進化，亞洲詩聖，建安七子，烏足與荷馬但丁莎士比亞相頡頏。古典衍爲浪漫派，寫實又由浪漫主義而改良；印象未來新浪漫，乘生迭起無盡藏。一若後派必優於前派，後者繼興，則前者理應絕迹於無何有之鄉。詩界大革命，持論益披猖。煙士披里純，神來大西洋。我華黃帝文化古國四千餘年後，自慚不學，又懼斯文廢墜，神州淪爲野僿邦。粵東陳君志莘篤學士，同校講習，暇時過從多陳述與參商。試數陳君詩，瀝誠見衷腸。洞悉民生苦，說理樸且強。漏篷席補船家苦；茅屋蛛絲破甑旁。越語吳謳都有韻；更添佳句話梅庵。梅庵詩云：『……我閒行花裏，香氣虛涵。我讀書亭裏，玄理靜參。我吟詩庵裏，墨飽筆酣。最難忘清風似扇。新月如鐮。秋蟲唧唧。柳影毿毿。』學者救國詈尼父，矢志弗移挽狂瀾。三隻門猫，一榻糊塗。蚊兒混帳，罵盡一世炎涼。詠諸三老嘆，深巷哭難忘。葉底花，有無限相思望，現出你的絕世英姿；你知否那羨慕你的嫉妬蜂狂。疇是虛僞的人生，有勁敵難降。疇是眞實的人生，有價値評量。以上皆縷指陳詩有眞性情，可以諷世而自勵者，我又焉能不視爲出色之當行！陳君編詩重述志，志曰世界吾身一律看，日近文明去黑暗，拂拭塵芥生秋陽。又曰努力奮鬥畢生事，首在多智燭羣盲。孔子發憤忘食，樂以忘憂，不知老之將至。諸葛武侯澹泊明志，甯靜致遠，爲國盡瘁以流芳。我讀陳詩兩百數十首，興酣落筆一再鼓勇繼續登吟壇。古人立言貴不朽，壽諸金石藏名山。啄木鳥音振餘響，擊節高歌樂未央。我思訪友結詩社，歡迎大將搴旗常。流傳聲價重出版，民權自由公道張。況復贊助多同志，我亦兩次司校勘。陳君謂予曰「敬謝先生成人之美意，請援卜氏子夏序詩例；藉以引端發凡，炫耀字縹緗」。予自問無專們之特識，更無由批卻導窾竟委窮源任負責之評量，用科學之良方。蛙鳴鼓吹，搜索枯腸，不足以言序，率我之性，求予同調，以此就正當世大雅，作友聲之提倡。予服陳君思相感情能超然于一時之好尙。予更勗予同學，極深硏幾，本此精神，毅然自持不隨時俗信口而雌黃。以此序詩，嘯歌滄浪。以此言志，前途渺茫。黃鐘毀棄，淸議難防。民族自治，德育爲綱。覘風問俗，道履平康。詢於芻蕘，文治日彰。吹竽擊筑，鳳鳴高岡。於變時雍，固我金湯。

十三年二月詹聯芳

右序文中本押七陽韻，將三江韻裏『邦』『降』。十三覃韻裏『庵』。十四寒韻裏『看』『瀾』『壇』。十五删附裏『山』等字，作成通韻。爲新詩押韻的提倡。這是很可注意的一樁事。——志莘附言

自序

哈哈！……我是詩國裏一箇笨園丁罷；又是一箇拙攝工罷！

這本茅屋集子裏的詩料，是我生命史上二百餘日——民十二，七，二十六，至民十三，一，四。——的遭逢。不過笨園丁逐日灌溉，怒放的花。拙攝工隨地拍照，攝得的相。自知花也香色太少，相也粗糙沒趣。換句話說，實在不敢言詩。

但是諸同志，再四慫恿付印，極增赧顏！現在把這些花朵和相片，居然展覽于讀者面前。我祇有燒起一瓣心香，虔祈讀者指導罷！並且甚願承讀者指導以後，更當向詩國裏續任園丁和攝工的職務，栽培生命上燦爛之花；遍照宇宙間變幻之相。

此外蒙吾師江亢虎博士，王西神教授，寵錫題詞。詹菱初教授，作序。和我的好友胡毓寰汪劍餘黃俊棄璜諸君，爲我校閱一過，都是我應該感謝的。

中華民國十三年二月一日平遠陳志莘敍于東海濱的涉蓁蓁齋

目錄

第一編

茅屋

目錄

第二編

茅屋

目錄

寄懷吳康老友
大雪之朝
游半淞園
大馬路上所見
劇喻
滬上送謝澍時凌光遠兩君之北京
白渡橋上偶成
詩

附錄浪游寫眞片目錄

挽球雪澄鴻春伯章祉余諸君爲余餞別卽席賦誌
壯別篇
呈教育局長經可師三絕

茅屋

茅屋

目錄

茅屋 有引

余於本年七月二十日，搭滬甯車到南京。一面是探訪朋友，一面是游覽古蹟，和攷察社會的現狀。我因饒友信梅，姚友希明之招，就在東南大學下榻。有一天，我和幾位朋友閒逛，在那大馬路旁邊，看見小茅屋裏面的小民生活；他們確是被有產階級，壓到出不得氣了。所以我特地把這箇可憐的景象，一一描寫出來，恐怕同這一樣的，也不知幾十萬戶。我們到底要用什麼法子救濟他？

茅屋矮而小，
　門前安喜神。
裏頭多垃圾

茅屋

同居五六人；
童子身無服，
壯男腰破巾
兩婦衣襤褸
對坐各含顰。
抬出熟菱角，
聚嚼味津津；
泥豬和瘦狗，
相對各舐唇。
簷間一破甑，
蛛絲雜積塵。
予立良久看，

2

他來訴苦辛：
『先生宰官身！
像我眞爲貧；
下有頑兒子，
上有老母親，
無褐度嚴冬，
無米度明晨……』
我問何所業？——
『車子日轔轔』
何不事農作？
『無畦又無塍，
卽此一椽屋，

還要出租錢！……」

●槑庵作　有序

余住東南大學，每晨夕必與饒友信梅赴其西偏之槑庵，縱目騁懷，盡領其勝，一日，獨坐庵中，翛然意遠，因口占是篇，以誌雪爪。

北極閣之陽，茅舍垂簷。

玻璃嵌窗，厥名槑庵。

名之者誰？

署曰江謙。

環庵所有，——栽蘭，栽菊，栽牡丹，栽芍藥，栽檜杉。

蒼古的六朝松，雜繞梅與橝。

茅屋

西隅矗起的德風亭子，
綠竹密圍斜日難暹。
更有古藤亭子，
石櫈二三。
我閒行花裏，
香氣虛涵。
我讀書亭裏，
玄理靜參。
我唫詩庵裏
墨飽筆酣。
最難忘——
清風似扇，

新月如鐮。
秋蟲唧唧，
柳影毿毿。

◉述志三首

十七堅吾志，
十年幸未渝。
操持守『六不，』註一
存心在『四須。』註二

註一——不嫖，不賭，不吸烟，不飲酒，不浪用金錢，不空過時間、

註二——須讀好書，須交好友，須作好事，須做好人。

二

吾身卽世界，
世界卽吾身。
時時去黑暗，
日日放光明。

三

努力奮鬥，
畢生之事。
啓淪羣倫，
首在多智。

諸葛武侯曰：
「鞠躬盡瘁，死而後已。」

孔子曰：

『其爲人也，發憤忘食，樂以忘憂，不知老之將至云爾。』

報答

父母生育我，
仁賢慈惠我，
這事還小。
社會供給我，
這事爲大。
我報答父母，
我報答仁賢，
便是——

「長作好人，
改進社會。」

●深巷哭聲 有引

此段悽慘的事實，係本年九月五日於上海莫干山路福新里所目覩的。經濟制度，壓人之甚；此亦一斷面的寫眞。因次其語，以告留心社會事業的慈善者，其亦聞之而思所以濟之乎？

紅日御西陸，
巷中老婦哭。
哭聲高間低，
高時徹瓦屋。
彼狀何可憐！

徐行疾措目。
巷深行逾時，
泣下淚盈斛。
家家啓戶看，
羣婦首頻蹙。
她說：『夫早亡，
無伯亦無叔。
祗有一頑兒，
頑兒年十六。
尙能事織工，
生活賴以續。
不幸前月天

茅屋

蒼天何太酷！
妾年五十餘，
況復纖纖足。
門庭闃無人，
倉廩空無粟。
無粟將奈何？
只把器物鬻。
器物今鬻完，
旦夕死可卜。
三日未喫飯，
三月未啖肉。
奈何復奈何！

斷腸與穿腹。
分我一杯羹！
給我一碗粥！」

●三老嘆

一條大路旁，
三間矮茅屋。
前有搓枒樹，
後列蕭疏竹。
堂上圍坐三箇老頭兒，
皓首修髯衣素服。
一箇駝背，

茅屋

一箇豁齒，
一箇眇一目。
聚譚世事變，
相看首頻蹙。
滔滔不竭談，
搥胸各欲哭。
我聽駝者說：
『連年穀不豐；
秋季穫三成，
不供田主翁。
刈稻糧未足，
終年苦力空。

茅屋

忍寒霜雪夜，
　半餓過殘冬。
吾家有八口，
　菜色上顏容。
更歷二三月，
　盡塡溝壑中。……
莫再降旱災，莫再降水災，天公呀！天公。』……
　豁齒老翁接着說：
『吾們不幸生末世，
　崇朝困苦與顚連。
旱災水災外，
　兵禍又相牽。——

14

分什麼南北！分什麼東西！
說什麼司令，說什麼軍長，……
籌餉斂民錢。
前月刮去幾萬，
今日又要幾千。
誰知翻雲覆雨，
鬧得黑地昏天！
且值交鋒地，
痛苦更堪憐。
村前巨礮响，
房屋化灰烟。
死傷慘積野，

草上血斑斑。
無人去埋掩，
白骨耀青山。
胡爲乎相煎？
胡爲乎相殘。」

●憶留美曾憲浩君

我自南京坐火車回來，
你向東海坐火船去了。
卽望着海波滔滔，
比不上我懷渺渺。

◎兵災 有引

年來南北糾紛，彌天烽火，塗炭生民，深堪痛恨！而于吾粵爲尤甚。此篇之作，祇粵中兵禍萬分中之一耳。若言兵災，則猶未盡也。

村頭粵軍來，村尾滇軍走。
山巔飄大旗，林間鳴刁斗。
忽然滇軍還，嶺上礮轟天。
彈丸如雨下，猛者若拋磚。
厥鋒不可犯，壁穿人也穿。
粵軍敢死隊，衝鋒力向前。
人人手駁殼，放如鞭炮連。
大呼殺！殺!!殺!!!頃刻死盈千。

茅屋

積尸川流塞，腥血地朱殷。
最憐村中人，遭戰無完屋。
迭供軍隊糧，倉箱無粒穀。
田園沒芋豆，欄柵空豚犢。
某家兵殺盡，某人彈穿腹。
某某斷一手，某某斷一足。
某某刵一耳，某某剜一目。
挈衆匿深山，風餐和露宿。
朦朧月色寒，樹根相向哭。
哭亦不出聲，恐驚聲應谷。
敗兵倘一聞，定作刀頭肉。

●努力愛春華

人生若泡幻，
　上壽祗百年。
煌煌生命史，
　務使駕前賢。
勿謂渺一身，
勿錯過青春。
勿言溷濁世，
　勿作逍遙人。
惟須鼓勇氣，
　勇氣滿乾坤。
前程破障碍，

大地廣無垠。
北美華盛頓，
西歐拿破侖。
革新馬克思，
勞工約翰孫。
非慕彼榮譽，
貢獻我人羣。
君不見少年若春花！
如荼如火又如霞。
努力自培植、
努力吐奇葩。
努力結良果，

種瓜卽得瓜。
又看少年如大輅，
　車式新奇車輪固。
轔轔直往前，
　行行莫囘顧。
駛我自由車，
　跑我平等路。
唱我自由歌，
意氣薄雲霧。
　我歌嘹亮出淸音，
始舒長歗雜長吟。
　敬愼惜時大禹訓，

勤勞運甓士行心。
『一寸光陰金一寸，
寸金難買寸光陰。』

◉送江亢虎師之南洋

吾師卓犖才，
　全球欽泰斗。
吾師社會家，
東亞斯魁首。
吾師教育者，
　今茲胡南走？
南走南海南，

亦爲教育否？
君不見南大吾師手締造，
甫及一周年，
海內咸稱道；
四方負笈來，
五百人擾擾。
黌宮覺太小。
三科分十系，
巍巍新講堂，
建築事應早。
需款亟且多，
吾師心如擣。

朔風何泱泱！
南雲何霧霧。
順風當得利，
忻忭門徒衆。
瞻彼南雲鬆，
南邦義氣重。
瞻彼朔風和，
朔風亦歡送。
歡送師南征，
南人儘歡迎。
華僑對教育，
夙昔具熱誠。

君不見北大，廈大，
槑槑功績著豊盈。
卜我校崇閎堂舍，
祝我校煥發精神！
何止媲美北大，廈大？
將與劍橋，慶應，芝加哥齊名。
敬爲吾師祝，
曰：『壯哉此行。』

●船家苦 有引

十一月某日，余與數友赴上海梵王渡觀約翰南洋兩大學學生賽球，觀畢，循蘇州河步返寓。而在途中看見沿河以船作屋的。

茅屋

不下數百家。細訪其生活，亦苦極矣。

小小船，
百年屋。
拾得破蓆補漏篷，
船尾燒飯船中宿。
時天雨，
烟滿篷，
船中人兮笑亦哭。
船之空，
高三尺，
船中人兮坐亦曲。
女，兒長大未婚姻

26

女，兒長大無書讀。
衣襤褸，
臉齷齪。
日日街頭遊，
日日河邊逐。
力爭炭屑聊供薪，
乞得人餘聊果腹。

◎本年七月某日嘉應學生會假東南大學商科禮堂開會，歡迎陳箠霖先生由美返國。歡送梁伯強先生遊德。謝奮程先生遊美，余亦躬與其盛，爰作是

茅屋

篇。

癸亥之年，新秋之月。
我本浪游，聿來自粵。
會門同鄉，歡迎壯別。
同懷宏願，同儲熱血。
邦國垂危，肝腸欲裂。
勉哉吾曹，造成英傑。
力挽乾坤，奇恥共雪。
億萬斯年，金甌靡缺。
冒昧陳詞，勿譏饒舌。

◉祝臺灣青年會季刊出世

東亞之東多惡魔，
惡魔會造毒烟霧。
烟霧滃滃障蒼天，
蒼天俯視亦震怒。
震怒大地裂，
地裂死無數。註一
諸君順天聯團體，
同懷雪恥斯要素。
更謀刊物大鼓吹，
鼓吹人人啓蔽錮。
親愛的臺灣同胞呀！
親愛的中國同胞呀！

茅屋

獨立自尊！
從速覺悟！
同具赤心，
同伸辣手，
同跨闊步。
搴起『正義』的旗，
撞響『自由』的鐘，
撥開陰霾，
驅除魔物，
快走『光明之路。』
註一——本年九月一日東京大地震，死人無算。

30

◉秋日寄內子岡鳳

百日別離味，
　彼此總相知。
海天隔萬里，
　遙遙有所思。
安得長房縮地方？相見笑嘻嘻。
安得長途之電話？低聲話別離。
　前時夢見卿，
卿立淚垂垂。
　昨夕夢見卿，
卿笑理青絲。
　揣量無着處，

茅屋

回憶別離時。——
洗我合歡被。
補我舊時衣。
分我針和線；
針白線色緇。
今被孤眠冷，
衣破疊在笥。
針猶未生鏽，
惟線已無之。
舊物覺有情，
亦喜時時窺。
秋深苦多厲，

秋雨也潛滋
報卿祗一語，
珍重遠相期。
風時多着衫！
雨時宜在闈！

弔同學宋武

開緘讀郵書，
使我若中酒。
問我何爲然？
中原喪良友！
良友厥爲誰？

茅屋

姓宋名曰武。
家在古滎陽，
自幼綦刻苦。
讀書二十年，
經史充腹肚。
經濟謀獨立，
企圖大建樹。
軍界與宦場，
亦曾敲門戶。
投身在教育，
終嫌功小補。註一
毅然棄雞肋，

34

南來春申浦。
復學入南方，
鑽鑿力益努。
忠慤與辛勤，
舉步中規矩。
國學窮淵源；
文章追往古。
見許許指嚴，註二
見稱江亢虎。註三
如何過鄭州，註四
一疾死逆旅？註五
人生必有死，

君先赴樂土。
身後有武術，
精神原不腐。

註一——君充小學教師。
註二——許指巖先生爲海內名儒。曾任南方大學國學教授。極喜宋君之文。
註三——江亢虎博士爲世界名人，現任南大校長。亦嘗稱宋君之誠。
註四——鄭州在河南。君因寒假回里，過此。
註五——君患痰症終于旅店死後目不閉顏色如生，尸亦不僵云
註六——武術乃君之著作，共四種。

◉哭故友

吾友陳煥芬易敬心張立華

胡為相繼亡？

客中懷舊誼，

午夜斷人腸！

註——陳君曾辦義務教育有名。易君曾在廣東公立醫學專門校肄業。張君曾在國立廣東高師博地部畢業。

◉倚滄先生南歸後却憶

有錢給我用；

有書借我讀。

茅屋

幾回獻詩文，
從容笑寓目。
幾回相見歡，
高樓談心曲。
先生忽南歸，
海上感幽獨。
辛家花園中，註一
春樹漸穠綠。
何時鼓輪來？註二
舊歡喜可續。

註一——先生寓所

註二——先生任國立暨南商科大學敎授，

38

◉過松社弔蔡鍔將軍

昆明建大幟，
護法掃妖氛。
于今法更壞！
誰繼蔡將軍？

◉感時（浪淘沙）

雲裏雁聲酸；
籬下花殘。
新愁舊恨倚欄杆。
南北烽烟都縷縷，

茅屋

我淚難乾！
政海捲狂瀾，
慧眼悲觀。
燕雲粵雨逼人寒！
何日共和能實現，
海宇平安？

第二編

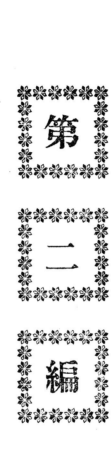

颶風中的一幕慘劇

天色昏黑，
颶風大作。
攪起萬頃的銀濤；
坐的船，搖籃似的，
誰不驚愕？
　我在玻璃窗裏，
更見遠遠地，
一船沉落了。
不禁骨竦，
不禁心慄。

只見幾隻白色的救生艇，
飛來飛去，
不知救甦多少？（此詩乃于六月間余過台灣海峽時之實景）

◉自題辛亥像片

十四歲有你了，
面目酷似，
身首還短小。
十三年來，我馬很紛擾，
想你靈臺未曉。
我眼巴巴，
我心皎皎，

我劍光鋩，
我詩積稿。
蓬蓬勃勃的英氣，
一直貫出雲表。
我本願捐我的頑軀；
把人道弄到很好。
我和你做箇比例式，
你決不能贏了我；
　但是百年以後，
有了你，
　沒了我。

●葉底花

葉底花，
你的美麗沒人知。
我曉得你，
有無限相思。
相思什麼？
望望風吹葉落，
現出你的「絕世英姿」。

●一箇天眞爛漫的女孩

馬路旁邊，
碧草吐芽。

那碧草場當中，
活潑潑地，
坐着一箇小娃娃。
有桃紅的臉兒，
有玉潔的手兒，
端莊的，身穿絳色春紗，
溫純的，手把美麗香葩。
她微微笑着，
發出清而柔脆的聲道：
『你們好跑平等路，
阿儂好賞自由花』。
……………………………………

◉一朵鮮花

一朵鮮花，
開得美麗。
不獨純潔無瑕，
且發清幽香氣。
可愛的花兒，
你知否蜂蝶兒羨慕你的美意嗎？

(二)

蜂兒癡了，
蝶兒狂了。

飛去飛來，飛來飛去，
紛紛擾擾。
　好似世界上，
只有這位含笑的花神，
　其他什麼都不知道！

（三）

司愛底神呀！
引我細數花鬚吧。
　那愛情所鍾的濃蜜，
濃蜜似的愛情，
　一絲絲聯絡起來，

創造一箇新的結晶。

(四)

不好了，
狂風來了，暴雨也來了。
攪到可愛的花兒，
娉娉嫋嫋——含羞，憔悴，——顏色之好。
就那淚珠兒，
也流下不少！
休管蝶也惱，蜂也惱。

(五)

可憐的花兒，
一瓣瓣落到地上。
色也衰了，
香也殘了，
蜂兒，蝶兒，
全不望望；
祇有愛花如命的人們，
把牠輕輕拾起，
傷心兒去葬。

●夜行馬路中一箇感想

老天漆黑，

茅屋

寒風料峭，
那如虎的汽車，——兩輛，三輛，十輛，八輛——
飛似的過。
馬路當中的人們，
嚇得神魂顛倒！
那箇時候，倖有白芒芒的電燈，
多煩照耀。
倘是沒有這箇慈善的神，
正不懂死了許多人？
我要替被嚇的人們謝謝你：
『你是我們的爹媽，
你是我們個的救星』。

小池裏的水蓮花 有引

這是一種水草，浮生水面，其花朝開暮謝，其葉可以飼豬。

滿池浮着水蓮，
　深綠色的葉，
紅淺色的花，
開得很熱鬧！
我去玩賞牠，
不是傍晚，
便是清早。
　輕風徐來，
彷彿牠微微笑道：

『今日花正好，
明日花已老』。

（二）

花開像蛺蝶，
眞箇蛺蝶也紛飛。
蛺蝶止在花上，
輕輕搖翅，
一雙雙絕世奇姿、
太陽西下了；
鮮花也殘了，
我站在小池邊，

沒見一箇蝶兒；
我因沉吟于濆的詩句道：
「花開蝶滿枝，
花謝蝶影稀」。

野草

料峭寒輕，
天涯綠遍，
你們算是秀苗的「土著」，
絕不仗人栽種。
活潑潑地，
發展天然的本性，

由生而長，而老而死，好似一場短夢。
　我攷察『植物國』裏，
你們是最多數的民衆。

（二）

草兒！
我愛你，我很愛你！
　我是『司春之神』，
且遣春風使者，多多為你吹噓。
　我更想新闢一座幽雅精緻底大花園，
做你求久底安居。
　豈但像朱晦菴，

「綠滿窗前不除？」

（三）

你莫憂慮！

那摧殘你的霜雪，

我快想箇法兒抵制。

使那渾圓的大地，無微不至。

——在南極北極，建築許多熱臺，製造溫暖的空氣——

使那酷虐的六出魔王，使倆無從試。

◉賈尼父

學者救國，

矢志勿移。
狂瀾滔滔，
挽轉憑誰？
您佬偏說：
『危邦不入，
亂邦不居』。
唉！這是您的錯誤點，
我從來沒有懷疑。

（二）
富國大計，
職業何疑？

您爲什麽大駡樊遲？
他來問問『學稼』『學圃』，
您要叫他『小人哉』，
祗因您自己不知。
您佬既如此，
又何怪丈人『四體不勤，五穀不分』的誚譏。

◉蚊兒

蚊兒！蚊兒！
大家討厭你。
查你的產生地，
『齷齪卑汙』。

看你的鑽營術，
『吮脂吸膏』。
但是一到天氣冷了，
你不敢出風頭，
我知道你善做『趨炎附熱』的工夫。

(二)
光明裏『銷聲匿跡』，
黑暗裏『聚嘯如雷』。
我曉得你小魔物，
係爲着生活而來。
有箇時候，

羣起而攻，
一擱一掌血，
『嗚呼！哀哉』！

◉三隻鬥貓

一箇盤兒，
三隻貓兒，
眼睛睛地，
攢喫魚飯；
豎尾伸腰。
有一隻强大的，
口裏叫出『呼呼……』。

那兩隻較小的，
就退縮着，
一會兒，又向前去喫。
那强大的，
露爪漲牙，據着盤兒；
急叫——『糊糊……塗塗……』。
那兩隻忍不住了，
只得聯合起來，和他撲戰；
戰箇不休。
一團兒，攙來撲去，弄到『一榻糊塗』。
並且一齊亂叫，——
『糊塗……糊塗……』。

◉夜行

一手提着旅囊，
一手拿着紙傘
太陽落了，前途還遠。
不怕黃昏黑，
不怕沒侶伴；
只是努力！努力！
留心「實踐」。

（二）

樹林陰翳，模糊莫認。

風怒號，蟲亂鳴，
流螢點點，眞箇凄涼境。
我不信有山魈和惡魔，
我也不怕山魈和惡魔，
只向白白的路兒前進。

(三)

一路夾田畝，
聽着蛙聲噪。
田水映天光，
我也參衆妙。
這種快樂沒人同，

俯首沉思但大笑。
——忽然一抬頭，
幾點明星來相照。

⑤友人苦瘡

長吁短嘆，
兩手爬着屁股。
皺着眉兒，
聲聲說痛苦。
我叫他不要緊，
請瞧千瘡並潰的國土！
總要覓藥快救補。

◉日本震災以後

數不盡縱橫尸首，
數不盡斷壁頹牆。
那熱鬧底東京，橫濱，
都變成了一片荒凉。
最難堪——
頑雲濁霧，
淒楚斜陽。
一陣陣的災民，身無棲止，食不充腸；
啼的，哭的，長吁短嘆的，布滿村鄉。

更有人說：
『他國君陰謀强暴，滅絕人道，天降奇殃』。

（二）

既遭了空前地震，
還起了無數强粱。
那淒慘的東京，橫濱，
又變成了酷殺之場。
最艱堪——
華僑韓僑，
血染扶桑。
活潑潑的同種，置諸死地，何其無良？

搥的，砍的，飽以槍彈的，狠藉街坊。

更多人說：

『他這樣毒手頻施，滅絕人道，天速其亡』！

◉南大周年紀念日

（調寄如夢令）

光耀校旗竪起，

飄颺空中得意。

那箇不關情？

便是怡情生喜；

歡喜！歡喜！

虔祝進步無已！

虔祝前程萬里，
像飛艇升雲裏。
我眼望巴巴，
快覩璇宮眞美；
很美！很美！
綵絢瀰天鬉鬆。

●譯皮亞士絕筆詩兩首

皮亞士 Patrick Pearse 係愛爾蘭愛國詩傑之一，是篇乃其臨刑前一夕所作。原名 To his death 其慷慨激昂的態度，誠令人欽佩不已。劉半儂先生曾譯爲五言絕句，載在新青年第二卷第二號今不佞譯爲白話，亦可別爲一體，玆附錄原著及劉譯于後。

我不是守錢虜，
現在榮名也沒有了。
但是人生的恩愛，
終多苦惱；
畢竟枯萎同秋草。

（二）
沒有財產遺我子孫，
沒有芳名載在史冊。
祇願上帝將你的靈魂！

移作後生的精魄。

附劉譯

守錢吾非虜，榮譽今亦毀。恩愛多酸辛，用隨秋草萎。
無錢遺家人，無名傳青史。願帝取我魂，移植後人體。

To his death

1.

I Have notgathered gold;
The Fame that Iwon Perished;
In love I Found but Sorrow
That withered my life.

2.

Of wealth or of glory;
I Shall leave nothing behind
me (I thiink it, O God, eno-
ugh)
Save my name in the heart
of a child.

◉讀胡適的嘗試集以後

「嘗試成功自古無」，
是放翁詩裏七箇字。
獨有胡先生，
偏要去嘗試。
我學胡先生，
「嘗試」我也會。

◉兵來了

這首詩所描寫的，係本年四月間許崇智軍與陳炯明軍在吾村附近交戰的實景。自念親受這種痛苦，不能無詩以紀之，因回憶當日情事，爰成是篇。

「兵來了！兵來了」！
一片狂呼聲，
鬧得黑地昏天。——
挑物的，抱子的，牽牛的，策馬的，抬豬的……忙個不了。
一齊向山谷裏面，——快跑，亂走，
恐後爭先。

（二）

兵來了，
只有人在深樹罅裏指着；
瞧那先鋒隊，大礮隊，某師，某旅，某團，

某營……的大旂，字跡隱約。

(三)

兵來了，

小百姓眞是糟糕了。

——紮民房呀，駐學校呀，勒軍餉呀，

題軍米呀，宰牲畜呀，毀器具呀，拉挑夫呀，……應有盡有。

(四)

「兵來了！兵來了」！

是老嫗在山谷中，對小娃娃的話。

小娃娃聽着，面呈灰色，

不敢說話，
不敢啼哭；
只靜悄悄地，
依着老嫗呆伏。

（五）

『兵來了！兵來了』！
是大軍去後，一箇瘋子在市場的呼聲。
那時的人們，驚魂未集；——
走呀，跑呀，仆呀，當眞什麼不要，
只望求生。

●大雪裏一羣小雀

千山萬壑，都遮住白雪。
一羣小雀子，在雪地求活。
什沒都沒有，到底不得食。
鬆着羽，點着頭，
一齊呼出可憐的聲，『惜，惜，惜，……』
我在三層樓上看見他，眞忍不起；
只施以一握粟，飽他的飢腸，
停他的『惜，惜，惜，……』。

●圍爐

紗窗外，萬山雪；

暖室中，一座爐。
　五六箇人圍住，
譚笑歡娛。
　竟說我們熱附和炎趨；
不外拿燃炭的溫度，
增上我們的肌膚。
——忽想到天下苦寒人，
　何時蓋裹『萬里裘』？

◉狂言

黑漆一團的宇宙，
糊塗極了的世界；

我們要一拳打破，
我們要一脚踢穿。
　但是打破踢穿以後，
要怎樣播文明之種，
耕幸福之田？

◉寄懷東京張莘英君

七年不見面的朋友，
眞箇相思重。
記得三年前，你給我一封信兒，
致我做起『農村運動』。
　惜我識力棉薄，

進行不勇。

（二）

聽說你娶了胡婦，產了胡兒，
開了平遠商店；夫妻合作。
想你組織新家庭，
自營生計，無窮快樂！

（三）

三島櫻花，
異邦物色。
那一種大和魂，

自當引爲法則。——

老朋友！努力新中國！

◉我的

我的心，像鏡子。

我的目，像電光。

我的靈魂，像春風。

不斷的拂我鏡子，勿使塵封。

不斷的發我電光，照澈太空。

不斷的揚我春風，吹醒了百花萬卉，

香滿人類幸福之宮。

夜遊汕頭公園

三面短牆，
數行百卉。
綠樹上安着電鐙，
射出淡黃的光；
愈顯得出百花自然的美。
　那時候人也不多，
只有四五十箇而已。
　我和幾位朋友坐在石櫈上，
清風徐來，
明月斜掛，
自覺怡情生喜。

隨便譚譚便譚到此園歷史。註

掉轉頭來一看，

祇望見裏面大門口，

站着兩箇全副武裝的軍人；

旁邊懸着粵軍總指揮處的牌子。

註——此園乃潮梅鎮守使署的前門餘地，洪兆麟官潮梅綏靖處時，亦設署于此。開放此地，築爲公園，卽在其時。孫陳政變後，許崇智由閩返粵，亦設行臺。刻下陳軍恢復潮梅，始改爲總指揮處。數年變遷，一至如是！游覽之餘，不覺由喜而愴也。

◉我坐輪船初抵黃浦灘

開船的人說：
『到了』！
我和朋友出來看看；
　陸地上：
有高矗矗的洋式房子。
有綠油油的路樹。
有飛似的摩託卡。
有擠擁的挑夫和搭客。
有喧囂的聲音。
　江面上：
有黑灰色的戰艦。
有白的，黃的，赭的，大商輪。

也有高挂布帆的大船。
也有往來如梭的小艇。
有的豎着外國旗，有的豎着五色旗。
走的也有，停的也有；
繚繞的黑烟，
嗚嗚的汽笛，
耳目都不暇接了。
呵！好染足了西洋藝術化的上海黃浦灘呀！

●人生

『眞實』是人生的價値。
『虛僞』是人生的勁敵。

想表現人生的價值，
惟有殺盡這類勁敵。

㊀滬甯車中

對座有兩箇姑娘，
好像上海的歌妓。
脂粉塗臉，
金石繞指。
穿着時髦的青衫。
圍着黑紗的裙子。
口裏吸住呂宋烟。
手裏把着新聞紙。

有時裝出神祕的笑，
似乎表現她藝術的美。
——但是妖嬈的態度，
究非大方舉止。

（二）
忽見了廣漠的田疇。
忽見了迤邐的山丘。
忽見了繁盛的村落。
忽見了寂寞的山陬。
一幕一幕，
比電影戲還快過。

比夏雲之變幻還快流。
——停了最久底車站，便是蘇州。
再走過去，有碧蔭蔭底大湖。

（三）

看得見鍾山，
下關就要到了。
遠遠地望着長江底船，
小如蚱蜢，黑烟裊裊。

◉金陵雜詩四首

前晚到石頭城；

明早游雞鳴寺。
鍾山山色遙青，
後湖湖蓮疊翠。

（二）
看小鶯放飛機，
聽空中聲軋軋。
愈升高聲愈微，
像一箇穿雲鶻。

（三）
淸涼山上閒逛。

掃葉樓頭小坐。
進香士女如雲，
乞丐沿途叫化。

（四）

傍晚赴農場裏，註
鍾山月色斜侵。
電火挂藤蓬下，
多人喝冰奇淋。

註——東南大學農事試驗分場，場中有茶點舖子一間。

◉贈北京大學沈良佐君

回頭你我六年前，同上講壇作『特扯』。註一

後來壓迫加你身，奮然北上爲學者。

記得那年『二四』講演時，註二 你也百日在牢獄。

舉世紛紛說君名，救國光榮總不辱。

現在你組成了新家庭，伴讀都中眞快樂！註三

他時能力各平衡，貢獻人羣好合作。

你努力家鄉改造事，新平月報我曾讀。註四

我們還要大犧牲，換得前頭新幸福。

註一——『特扯』即英語 Teacher 譯爲教師。民國八年春沈君充

九鄉公學校長，聘余爲教習。

註二——八年二月四日。北京學界，行第三次救國運動。係因青島問題，反對日本直接交涉，并要求釋放京津學生。是日下午齊集正陽門外，共計二三千人，分頭向各街市民講演，藉以激動羣衆，警告政府，後被京畿衛戍司令部逮捕蔡咸章等四十八人，沈君亦在其中。旋由司令部移解法庭審判。最後判決，各處五等徒刑(二月)。但未判決以前的歲月，通以二日抵一日，故沈君在獄百日，出獄後，卽攝影紀念，並受各校學友大歡迎。沈君在獄亦有紀載，曾郵寄余閱。

註三——沈君于本年夏，在京與徐雅伴女士自由結婚。

註四——沈君在京與知己共組新平社發行新平月報。

◉小詩四首

天上的銀河呀！
好傾注下來，洗清世人的黑心！

（二）

天上的星球呀！
好墮落下來，打死世間的惡徒！

（三）

山上的孤松呀！
我最喜歡你兀傲的高節！

（四）

壺中的冰塊呀！

我最喜歡你晶瑩的顏色！

◉遺懷三則

粗飯喫得飽。

布衣不爲醜。

花，月，是我底姊妹。

詩，書，是我底朋友。

（二）

哲人樂觀。
君子固窮。
自願畢生如此，
贏得兩袖清風。

（三）

我身是『小我』，
社會是『大我』。註
倘若分開來，
這事萬不可！

註——大我，小我，之說，本是胡適之先生的宗教。我是他的
教徒。

◎同心曲贈神州文學社汪劍餘葉璜黃俊張汝金諸君及徐靜涵女士

我準備登喜馬拉耶峯，
　高搴『文章革命』的旗。
大聲疾呼，喚醒夢夢；
消却了他們的呆癡。
　更揭天河的清水，
　　洗淨大千世界，
　　　俾衆生懷抱『眞知』。

（二）

茫茫人海，
誰是人豪？
我最愛淡中的滋味，
我最喜自然的樂歌。
驚神泣鬼，
自詡功高。
只有諸君相伴，不須多。
總要『同心』做去，
撥開漫天雲霧，
快向光明路上跑。——
那古樹梢頭，花開了，花謝了，

我們莫去管他！

◉詩人

道德，像園中的土，
詩句，像園中的花。
　要花開得燦爛，
總在土質腴些。

（二）

海闊天空，是你的度量。
日光電閃，是你的心靈。
平等，自由，博愛，互助，是你的目的。

努力！努力！
詩人！詩人！

(三)

莫說詩是表現人生呵，
莫說詩不是表現人生呵。
笑也好，
歌也好，
哭也好，
怒罵也好，
嘆息也好，
總要開闢未來的詩園，

點亮心燈上的火。

（四）

勿嗟卑！
勿嘆老！
尋快樂！
避苦惱！
絕戒蹈襲！
留神創造！
黑暗是你的仇人，
光明是你的大道。

（五）

包羅民物，
貫通萬籟。
箇中心情，
透參衆妙。
他年墓上的鮮花，
博得美人的微笑。

◉潮汕火車中即目

稻田千頃，
遠山淡淡，
飛似的過。

只見蓮塘裏有幾箇人，在小船中赤裸裸。
兩箇，手把蓮花玩着，在舷上坐。
兩箇，手把蓮子啖着，在艙中臥。
並且唱着山歌
悠揚相和。

聞列甯死耗

列甯翁的大眼，窺破了世界黑幕。
列甯翁的辣手，扯破了世界黑幕。
費了畢生的犧牲，
換得人類的快樂。

（二）

數年來，毀譽參半。——

有的叫他暴徒，

有的叫他能幹。

　但是甯翁奮鬥前進，方針不換。

——于今蓋棺定論了，

誠令我贊也無從贊。

（三）

——甯翁死了嗎！

——甯翁眞死了嗎！

　簡直不死；

他的偉大的靈魂，
散作新世界之花。

◉寄懷吳康老友 敬軒

別了幾年，
光陰倏忽。
回憶在平中的時候，註一
常以你之長，
却補我之缺。
我牢記着平陽城裏的中秋，
同賞鵝山頂上的明月。註二

註一——平遠縣立中學

註一——鵝山。又名鳳山。拱照城南。爲附郭八景之一。

(二)

回頭五六年過，
最羡慕你在北大，
做手屈一指的英髦。
又新潮社裏，
可數的人豪。

(三)

傳說你要遠離了廣高，
要到西北大學去了。

你過滬的日子，我倒不曉。
請你告訴我罷！
才可客中相見，各談懷抱。

●大雪之朝

玻璃窗兒亮了。
太陽光射來了。
我披衣而起，
冷氣侵人，打了幾箇寒噤。
那箇時候，
街上有汽車咕咕咕的聲了。
淘糞的人，倒垃圾的人，

推着車子，欽佮空隆來了。
娘姨起來了；註
老頭子起來了；
小孩子也起來了。
我們推開窗門，看見那車子在雪地上走得很快。
空中飛舞的雪花，越下越大；
好似天公給我早晨玩玩的。
惟有幾箇小孩子們不怕冷，
笑嘻嘻在雪地上跑，捉那飛舞底雪花；
他們是游戲底高興所驅使。
但是我們和淘糞的，倒垃圾的，娘姨，老頭子，也是勤于職務的
高興所驅使。

註、——上海人叫女僕爲娘姨。

●游平淞園 有引

十三。一。二五。隨劉菱初師，暨方聞葉璜汪劍餘徐復祖。劉淑寰諸友，游園賞梅，互相唱和，得詩數十首，編入另集。這幾首排入這裏，不過略存雪中爪跡罷。

圓池裏的魚兒呵。
石墩上的竹子呵。
你們不是很得意？
池怎麽深，魚兒沒風波，喜洋洋地！
墩怎麽高，竹子被風吹，笑徽徽地！

（二）

暖室裏的蘭花放着。
磁盆裏的梅花笑着。
一陣陣的幽香，
好似歡迎我們幾箇人。
恍惚低聲道：
『你們是詩翁，
我們是花神』。

（三）

過九曲橋，
躋登雲路。

有崎嶇的石級，
有蒼翠的柏樹。
坐絕頂的茅亭裏，
吳淞江的船舶，分明可數。
且把我的新愁舊愁，
也翻出吳淞江裏去。

（四）

穿過半光半暗的石洞。
行過三步五步的短橋。
湖心亭子，
棟畫欄雕。

我們坐着喝茶，
有幾個女子，——
虐謔，大笑，含嬌；
且攙來撲去，弄到裙影飄飄。

（五）

問誰翦取吳江？
自闢湖山如畫。
竹子，魚兒，花兒，木兒，橋，亭，石洞，湖中淸水，……在在
使我們暢快。
　我多謝園主，我告訴園主：——沈志賢姚伯鴻
「煩你們創造雅緻的名園，

看我們創造簇新的世界』。

◉大馬路上所見

朔風嗚嗚的吼；
雪花片片的飛。
洋樓上的窗兒也緊閉了，
馬路上的人們也稀少了；
幾個黃包車夫瑟縮着道：
『又飢又寒！又寒又飢』！——
只有那坐汽車的先生，
不懂得車外寒冷，
還玩着飛舞的雪花，箇箇笑嘻嘻。

◉劇喻

茫茫的宇宙，
是一座太大的舞臺。
人們都是扮演戲子的脚色。
有的臉上施朱；
有的臉上塗墨。
有的專攻唱口的生旦；
有的搖旗喊吶的小卒。
悲劇呀！
喜劇呀！
全仗着他們表現的藝術。

◉滬上送謝澍時凌光遠兩君之北京

作客滋味，
彼此親嘗。
客中送客，
倍覺淒涼。

滬甯車中的汽笛叫了，
你倆上車忙。

我但祝——
『老謝珍重！
老凌珍重！
前途康莊，

來日孔長」。

㊄白渡橋上偶成

殘月一鉤，
明星滿天。
河裏的流水悠悠着，
兩岸的燈光閃閃着；
愈顯得出美的自然。

(二)

橋上過的電車，
來來往往。

空隆空隆的聲音，
不斷的響。

（三）

自然的美，
不斷的響。
便是暗示人生的祕密，
起了曇花偶現的感想。

詩

詩料，是詩人命上的遭逢。
詩興，不是詩人所能想得到。

你要看閒雲的出岫！
你要看春蠶的吐絲！
便曉得詩是無心的創造。

附錄

浪游寫眞片

自民國十二年七月廿六至九月一日

平遠陳志莘著

◉本年余任平遠第一區立第一高小校教席，夏五月二十七日，余乃啓程浪游。同事挽球雪澄鴻春伯章祉余諸君爲余餞別，即席賦誌。

半載欣同事，明朝即別離；同魂惟異體，安用歡樽醨？祇恐江湖闊，萍踪靡定之；光陰駒過隙，聚首復何時？勉強爲君盡一杯，（余素不飲酒飲少輒醉）倉卒爲君進一詞：教育謀普及，民治爲始基。教學欣相長，新潮早吸宜。載途荊棘滿，持刀仔細披。誰謂堇茶苦？其味甘如飴。事苟合正義，生死吾何辭？地球無淪沒，天道自推移，努力新世界，斯責舍我誰？前途最康莊！來日最舒長！看看風塵裏，孤劍吐寒芒。名成與勳立，重上君子堂。北嶺松濤下，（爲邑附郭八景之一該校在焉）再泛紫霞觴。

◉余瀕行，同事及學生百數十人，整隊送行。遽賦別離，情何能已！

因吟『壯別篇。』

丈夫惟壯別，相送覺多情。天地如長在，無渝車笠盟！丈夫惟壯別，無如遠送行。吾曹宜自愛，萬里看前程。丈夫惟壯別，孤劍惜風塵。淬礪須努力，提來斬佞臣！丈夫惟壯別。絕無兒女容。相期在救國，盡在不言中。

◉余之行也得縣教育局長經可師資助瀕行即呈三絕

我慚桃李未成陰，和煦春風直到今。妙手栽培成善果，感恩知己總銘心。

傷心大地偏腥羶，安得清流快滌湔？記取臨歧金玉語，法科珍重好精研。

余入南大國專科兼選習法科蓋爲此也

滄海橫流疊大波，斯民飢溺惹愁多！商量快趁慈航渡，一葦濤頭作達摩。

◉途中雜詠

清風送我總歡娛，夾道蒼松滴露珠，回首鄉關原暫別，天涯能否憶蓴鱸？

至珠坑圍時尙早。

一肩行李赴前程，體魄康强我步行；準備芒鞋登五嶽，長途不聽鷓鴣聲。

◉寄挽球校長及東諸同事

檢點征衫剩酒痕，壯游臨別也銷魂。祇緣半載慵同事，好夢時縈盡笑言。

臨行情緒總纏綿，語語珠璣記得全。自曉自尊兼自愛，前程猛著祖生鞭。

◉賦別本修夫子及粹爐毅侯佐堂作屏雲九柳屏泮川自豪載如祥和諸翁
同宗秩平仄彝家輪福飄宦廷生蕙華英諸大叔景鋒姻先生位卿世伯

負笈行行出里門，驪歌聲輭暗銷魂。情長時短言難盡，留與重逢細細論。

此行擬赴春申浦，客路迢迢仗福星。東海揚舲應眷念，掬將大海比深情。

澤夜荒郊羣鬼嘯，囂塵毒雨逼人來！吾儕奮鬥成功日，世界光明黑幕開。

◉留別丘縣長慰椿兩律

碩學槃才鬱壯圖，彈丸小試自寬舒。士民融洛黃陽夏，權變通籌丘仲孚。

青眼加人天下少，鴻慈馭吏古來無！雨餘官舍饒清興，靜玩蓮塘葉走珠。

署內有蓮塘

殘破棋枰手自支，依稀風雅似丘遲。雍容坐鎮平陽局，平遠又名平陽取次歡迎返粵師。幾度當湖肝膽鐵，一心憂國鬢毛絲。浪游杜牧懷恩澤，未揖尊顏却寄詩。

◉留別姚檢察官良大

未曾話別上琴堂，驪唱匆匆我去忙。何事長官頒厚貺？隆情應比海天長！維桑恭敬新官長，共硯磋磨老友朋。臨別贈言珍重意，飭通民隱玉壺冰！

◉奉贈碩臣丈人

家世秦公（宋陳省華封秦公暗指丈人之先大父海虹丞廉出仕化州事）世澤新，一經世德有傳人。吾宗嘗代知餘子，（堯佐別字）文集諸編自等身。（丈人著述甚富）魯殿靈光世所尊。記曾寒夜話春溫。滄桑變態都論盡，畢竟揚雄盡法言。清宵草率默奇文，大匠匆匆未運斤。兵陣指揮同筆陣。終須大樹老將軍。（丈人所居之地名曰大樹下）廿七年華類鳳雛，冲宵有志入雲衢。狂歌聲徹三千界，欲借王敦缺唾壺。

◉宿鐵民學校卽告林篤度校長及諸君舊好

半載同離索，（去歲余主講此校）相逢若療飢。一聲齊笑道，已讀浪游詩。（余之行李先至該校諸草匿篋中爲諸舊友拾讀）

過事郇廚擾，何勞命殺雞。淡交須淡味，藜藿甘如飴。瀹茗論時局，國危心共酸。話到中樞變，（時〻出津）暑夜一燈寒！

浮魚浮碧沼，落花點翠苔。青山開笑靨，似識舊人來。舊誼鳳山峻，濃情程水長。堂前一揮手，心裏永難忘。

◉別漢偶

多年唱和老吟魂，相別相思已六旬。今日相逢祇相笑，相思欲語總無言。

吾輩離羣與索居。神隨以太洽淸虛。郵筒電話能相賠，天地原來一曠廬。

◉江行雜詩十八首

低篷與淺艙，同坐數梨商。識我俱云晚，開梨笑說嘗。　灘急水聲緊，
舟行一箭飛。舟人原不俗，閒唱竹枝詞。　一灘又一灘，一灣又一灣。
船隨灘勢轉。忙睞兩邊山。　四面瀰天雨，紅潮添半篙。船家咸戒懼，
未敢泛洪濤。　艤舟傍岸宿，我自展書讀；讀罷艙西眠，靜玩江干竹。
篷背受殘陽，船頭橫濕槳。隔船哭語停，忽有瑤聲響。　柳下船成市，
通橋架短長。作工兼笑語，船尾洗衣裳。　梅江水丈餘；程江水八尺，
羣船不敢開，連纜兩朝夕。　風歇水容平；雨餘山態活。更闌雲霧收，
江心見白月。　河面可三里，我自御風行。景物關情處，低聲問地名。
青苔罩白石，鐵幹有蒼柏。釣童兩尺許，得魚長一尺。　洋樓排兩
岸，古塔入晴雲。款乃一聲槳，乘風破浪紋。　韓江水正肥，商舶帶烟
歸。借得東風力。輕帆片片飛。　深竹有人家，炊烟縷縷斜。殘陽橋板
上，童子數歸鴉。　悅目萱花岸，怡情綠柳隄。更有關情處，苦竹鷓鴣

題。　蘆花淺水邊，幾隻打魚船。舉網得魚大，拍掌笑嗚嗚。　飛瀑響鳴琴，風光愜素心。天然兩箇石，童子拜觀音。地名　惹起新詩興，竹林聚白鷗。新詩吟未竟，已到竹篙山。

◉舟次白渡憶宋芷灣太史

曠代才人意氣橫。江聲猶帶不平鳴。滿清束縛奇瑰士。湖海諸壇却寄情。
程江數到乾嘉世，天下知名只此人。紅杏山房何處所？青巒祿水蘊諸情。

註——韓江上游爲程江，因南齋赴士程江得名。紅杏山房，乃宋太史所家。太史者紅杏山房詩鈔行世。

◉韓江述懷寄經可家夫子益慕舉秩平仄彝諸大叔

高山流水思愔愔，百里長河一片心。量取韓江衡舊誼，濃情更比碧潭深！
縠浪微茫鎖斷烟，詩情畫意上毫顛。癡懷知己江湖外，邂逅孫陽卯色天。
一片江山久姓韓，縈洄鱷渚也奇觀！男兒事業應如此，要使瀛寰北斗看。

疎狂餘子眼中無，落日平原拍手呼。恍惚天公低語我：『乾坤將倒倩君扶！』

◉過篷辣灘

灘名篷辣客心驚；颯颯寒風篷背生。舟子傳言客莫恐，昔時危險今夷平。

◉望陰選山

如此名山特注眸，鬆雲似帽白籠頭。遙詢雲裏諸仙伴。終累蝸名笑我不？

◉三河

淼淼河流丫字形，隔江旂赤載兵舲。數聲汽笛前頭叫，小火輪船款款靈。

◉銀溪

晴波打槳過銀溪，瓦屋石橋竹木齊。此水相傳魚味異，（大埔縣誌載銀溪產魚不腥）瓜皮艇子坐漁娭。

◉黨溪

水衝岸石響濺濺，賦就新詩喜扣舷。更愛當前圖畫好，一帆風送過江船。

●高陂

誰家栽竹萬千竿？點綴江山頗大觀。白鶴紛飛雲盡黑，催詩風雨浪侵船。
十里波濤捲淡黃，泊船驚散野鴛鴦。無聊萬个江干竹，風雨滿山又夕陽。

●韓江船謠（聽船伕之言因成是篇）

逆風最惡雨廉纖，危險石門與鱷潭！貨物大宗何要問？下裝柴米上裝鹽。生小韓江撐小船，潮音嘔啞聽難全。（船伕客人）箬篷木槳味非昔，價值于今幾倍錢。
晨夕虔燒一炷香，船頭默祝保平康。上船只愛南風大，下船只愛潮頭黃。
搖櫓持篙苦鎮天，腰酸足頓已堪憐！日間工作夜間睡，莫去船頭聚賭錢！
作業最宜均苦樂，高歌柔櫓應山隈。黃昏赤脚渾紅面。搭客拿錢買酒來。
雙眼飽看時局變，白雲蒼狗令人驚！年來同業咸相戒，不怕狂潮只怕兵。

●宿汕頭廣泰來棧

踽踽愁行役　樓頭見故人。（敎,祐懋驄懋修澍時諸友）相看相笑語，脈脈敘幽情。

四層洋式屋：高樓花未凋。賣錫聲徹夜，終覺太喧囂。賦罷新詩句，銀牀玉枕橫。攪人淸夜夢，一片打牌聲。客有竹戰者，終夜不歇。廣東民性賭，于此可見一斑。余極爲討厭。

◉汕頭雜吟

公園游罷又張園，客飲茗醪到處喧。我輩不隨世俗態，花陰坐石話淸言。

電燈爍爍夜闌珊，礐石微茫着意看。撩起阿儂無限感，月光斜照海波瀾。

高矗茶樓與酒樓，歌聲風送韻悠悠。此中可有陳天子，邦國垂危總未愁。

◉寄告平報主筆錢熱儲君

奇情高誼薄雲霄，中外傾心管鮑交。更是鮀江錢大雅，文瀾洶湧海洋潮。

文章革命吾存願，改造社中子奏功。君組織嶺東社會改造社余亦濫充社員愧少建白惟君提倡改造獨多相約進行齊奮力，新潮迎合海西東。

啾啾羣鬼夕陽斜，寄語吾曹莫怨嗟！竭力劃開平等路，同心合種自由花。

◉坐新甯輪在汕頭港內阻風

連朝浩浪阻征期，危坐房艙客緺眉。惟我一枝斑管豔。鐵欄安倚寫新詞。

◉謁張孟傳師於汕頭市中央理化教室即呈兩絕

清虛淡泊檀文詞，儂任維桑侍虎皮。更喜箕裘能續紹，叔方有子是元基。

張辰世兄在廣高有名

驅車海上拜横渠，茗瀹雲樓話共娛。笑我揚舲東海去。春風分與送行無？

◉寄呈張公略

嶺東今日張公略，千百年前張九齡。同是文場號元帥，鮀江何減曲江神！

俠骨儒魂百鍊身，韓江山斗屬斯人。華陰山下公超市，移到天南大海濱。

◉八月七日始鼓輪化上

款款飛輪萬里程，蒼天碧海總關情。任他後浪推前浪，我自乘風破浪行。

◉八日過臺灣海峽有懷臺灣同胞兼示同船諸子

海天康食勢淼淼，海風猛吹浪浩浩。倚欄東望淚欲流，何丹能寫憂心悰？噫吁嚱！臺灣同胞太可憐！地割東夷命如草。算去萬般俱痛苦，哭來千界皆煩惱！我人華胄氣同生，恢復救援胡不早？同舟共濟理當然，此理人人亦洞曉。勿餒勇氣向前行！忽怕犯潮顛與倒！合力高搴五色旗，三島穴庭快犂掃！

◉船泊三泊灣阻風書所見

童山迤邐繞，風捲潮頭黃。兩三漁艇小，傍岸受斜陽。犖石尖如筍。茅廬架石間。柴扉長掩住，縷縷起炊煙。

◉入長江口

國家多故客愁縈，對此潮平意不平。我亦騷懷同士雅，中流擊揖誓澄清。

◉滬上雜詩四首

船舶雲屯海港深，天風汽笛韻沉沉。熙來穰往人如蟻，惱煞囂塵幾度侵。

條條馬路都寬綽，樹茂秋深黃葉稀。鎮日往來聲軋軋，汽車爭逐電車飛。

轂擊肩摩擁市門，南京路上近黃昏。分明電火光如晝，綠女紅男赴樂園。

西裝白帽手藤鞭，挈伴嬋娟各莞然。畢竟外人能戀愛，自由平等福雙全。

◉贈商務印書館機師長筆霖家先生（兼中華國民製糖公司顧問）

芳聲贏得疾雲雷，中外咸欽實用才。救國嘉猷翹首望，萬家合掌拜如來。

竹林高馬寄幽情，青眼頻加到小生。感上心頭銘入骨，良師知己總相并。

◉贈東吳大學法科鄧繩武君（婆羅洲人）

湖海同涵意氣豪，春申江上數英髦。龍門許我登臨夜，握手樓頭位正高。

順應潮流重鼎新，深明法海渡齊民。他年大業衡遺澤，功越雲臺第一人。

◉書電車所見

花貌冰膚衣紫綃，黑紗羣子髮垂髫。上車得得高蹄履，一步行來一步嬌。

纖纖玉腕繫錢囊，安坐車中臉色莊。更出懷中書冊看，雍容沉靜好姑孃。

◉游雞鳴寺（卽古同泰寺）

古樹槎枒繞古寺，那堪遺蹟溯臺城！狂風忽捲林梢響，恍惚當時念佛聲。

坐對青山茗一壺，豁蒙樓上足淸娛。賣心最是憑欄望，萬點荷錢玄武湖。

蒼茫雲水浸層巒，一片湖山當畫看。我愛樓頭金石契，者番舊雨接新歡。

（同游有饒信梅老友。及新交劉湘賢君同宗膺蕃君故云。）

◉游玄武湖紀事吟示同游姚希明老友及蕭自勤姚士金張逢蓬姚榮尹陳耀金諸君

準備游湖樂趣眞，驅車十里逐香塵。湖濱買得如梭艇，錦幰花簾色色新。

瓜皮艇子載新愁，蘆岸停橈上老洲。最愛陶然亭外望，萬花圍繞一湖秋。

小閣烹茶茶味滋，伊人秋水慰相思。（希明君爲余數年契闊之老友）壁間題句從容讀，半是無聊酸鼻詞。

月明柳外廊絲絲。半舫淸風總得宜。偶摘荷錢作綠帽，淸狂自笑類兒時。

天光雲影晚湖平，蘭槳輕搖鷺不驚。穿過橋南與橋北，多情圓月伴舟行。

陣陣荷香撲鼻來，湖心停棹月徘徊。游人欲折花歸去。艇婦爭言不應該。

無端花裏唱新腔，翹望花叢隱畫艭。人共荷花嬌欲滴，珠簾輕捲一雙雙。

阿儂生小喜幽探，飽吸花香樂且耽！無限壯懷無處寫，高歌也自唱江南。

夜闌月白唱歌還，柳巷風輕舞小蠻。相約重游應實踐，故鄉無此好湖山。

用蘇句

◉登北極閣

紅羊刦運經千百，此閣巋然景未更！我躡崇山當午夜，萬家燈火石頭城。

◉過隨園故址

驅車獨上小倉山，認出隨園亂草間。緬想乾嘉風雅盛，百年興廢淚潸潸。

◉烏龍潭

水心亭子樹扶疏，綠柳陰中畫舫孤。一片玻璃成對象，也隨人說小西湖。

●莫愁湖

五百年間王氣收，巍然留此勝棋樓。名姝終奪英雄魄，從古湖山號莫愁。

『建國成仁』石上銘。湖濱有粵軍建國烈士墓當日封築頗好。今則亭臺垣牆多圮毀惟孫總統親書「建國成仁」四大字碑及姚上將雨平黃留守克强所撰各碑文尚存無恙瞻望之下不禁起滄桑之感 荒涼遺蹟認臺亭。秋深湖上花如錦，祗有殘荷解薦馨。

看倦湖心玉井蓮，曾公閣上品名泉。較量風味荷香裏，蓮子瓜犀分外鮮。

●游雨花臺

說法臺空茁草芽，登高懷古夕陽斜。滿山寶石眞奇錯，是否當時天雨花？

粵軍建國奪高岡；辛亥光復吾邑姚雨平上將率粵中健兒八千人攻金陵之南卽此地也 十二年前此戰場，可恨健兒骨未朽，內爭連歲起蕭牆！

江北江南欲暮天，芒鞋踏破秣陵烟。此身自詡雲中客，來試人間第二泉。

用蘇句

●謁方孝孺墓

維持正義太犧牲，青史煌煌著盛名。碑字留題李宰相（前清李鴻章公督兩江時爲之立碑）千秋誰不仰先生？

六百年前劇可哀！名賢誅戮殿成灰。暴君早已無遺蹟，獨有方家土一堆。

◉呈季襄家家先生（燮勳蕉嶺人）

嶺左風流卓犖才；閩南淮北講壇開。（先生曾任廈門集美校教席及徐州師範教務主任）天涯邂逅揚雄面，我自携壺問字來。

橫渠鹿洞總相兼；桃李盈門樂且耽。陶鑄新民儂最羨，春風難得被江南。（先生現任東南大學附中教授）

歐風飽吸自由人。新組家庭樂趣眞。伴讀可能互刺股，（夫人吳女士鴻書在暨南女校肄業）商量救國拯斯民。

◉過明故宮口占

縱橫道路綠楊郵，禾黍離離渺帝閽。當日尊嚴流水去，牛羊徐過五朝門。

五朝門尙存，余見芳草萋萋。如牛羊過其下。

◉明陵偶感

羣雄割據紛爭局；外患侵淩危急時。偌大人羣四百兆，如公崛起更阿誰？

太祖雖爲專制君主。假生于現代。亦必趁着民治潮流爲共和之健者。

◉續姚雨平上將斷句有序

余晤姚友希明于東南大學。談次，即出令兄雨平上將，年來吟稿。感慨淋漓，有拔劍起舞之態。惟其中因去歲赴東江訓和孫陳之行，得『江漢朝宗無限好，東風回首萬重波，』兩句。一時名人，爲之賡續者甚衆。余亦不揣譾陋，爰續數絕，以呈雨平上將，促其再起靖難。

欲成仙佛放屠刀，曾向湖濱理釣蓑。江漢朝宗無限好！東風回首萬重波！

江漢朝宗無限好！東風回首萬重波！妖氛端賴將軍掃，重奮魯陽返日戈。

新還幸福又銷磨，險惡風雲愛幻多！江漢朝宗無限好！東風回首萬重波。

江漢朝宗無限好！東風回首萬重波。治平氾濫終多術，（雨平翁現任東江治河辦）利導橫流滙九河。

◉將離金陵留別東南大學信梅希明兩君兼示同鄉諸子

三年不覯面，半月話幽懷。握手一爲別，將去又徘徊。大地龍蛇徧，縱橫惡噬人。誰提三尺劍？奮鬥滅囂塵！天下正多亂，吾儕好讀書。巽時圖建設，同聲德不孤。

◉入南方大學呈校長江亢虎博士

五洲景物足遨遊，廿紀文明盡吸收。鼓鑄羣倫存偉願，春風薰馥被全球。

倡言改革著規箴，救世扶危古佛心。海內黔黎延頸望，先生何日作甘霖？

政綱抱定新民主，文化宜揚古國魂。我自垂髫曾拜倒，壯齡何幸託程門！

西方極樂在前頭，萬朶奇葩發自由。路闢光明行我素，任他荒野鬼啾啾。

勘誤表一（題序及目錄）

何處	誤	正
王顛詞	嗜	嗟
簷序二十七行	愛	憂
簷序二十七行	老	之
簷序三十三行	們	門
簷序三十四行	蛀	蛙
簷序三十六行	相	想
第一編第三題	引有	有引
第十二題	益	並
浪游寫眞片八題	浪	艮
第三十二題	維	雜
第三十八題	南	北
第四十七題	鄕	鄉
第四十八題	北續	南方

勘誤表二（第一編及第二編）

編	頁	行	第幾字	誤	正
1	28	4	2	門	開
1	32	12	3	苦	風
2	19	6	3	貌	貓
2	25	8	2	艱	難
2	14	10	3	宋	永
2	34	10	1	圍	園
2	26	6	6	莘	萃
2	65	2	2	平	牛
2	69	7	2	淤	淞
2	93	10	1	諸	詩
2	73	9	人字下脫一生字		

勘誤表三（浪游寫眞片）

頁	行	字	誤	正
2	5	5	偏	徧
3	9	1	澤	黑
3	7	21	曰	日
4	8	6	諸	詩
4	10	5	默	獻
5	2	7	告	呈
5	7	1	浮	游
5	7	5	沿	沼
6	4	19	西	面
6	5	13	哭	笑
6	9	10	鈞	釣
6	10	14	祿	綠
7	1	1	題	啼
7	5	24	諸	詩
7	7	12	赴	處
7	7	15	江	畋
7	7	30	者	著
7	9	11	益	並
7	11	27	卯	卵
9	6	20	昧	殊
10	8	2	告	呈
11	4	5	檀	擅
11	10	8	化	北
12	1	16	瀾	欄
12	4	11	怱	勿

頁	行	字	誤	正
12	4	13	犯	狂
13	6	4	馬	雅
13	8	25	位	月
14	3	15	賣	賞
14	12	5	廊	柳
15	11	1	鳥	烏
18	5	4	早	平
18	7	21	訓	調
19	1	12	愛	變
19	11	10	宜	宣

此外10頁2行性字下脫去一『好』字18頁1行多排一『如』字18頁6行出字下脫去一『其』字又2頁5頁6頁19頁各五言絕句分首處有未清明者

中華民國十三年八月出版

（茅　屋）（一冊）

（實價三角）

著作者　陳志莘

印刷者　新文化書社印刷所

發行者　樊春霖

總發售者　新文化書社（上海西門瑞秀里）

特約經售者

長沙文化書社　南京樂天書館　保定華玉山房　保定育德販賣部

雲南新亞書社　廣州共和書局　開封文化書社　成都中國圖書公司

重慶唯一書局　汕頭中華書局　太原晉華書社　開封豫郁文書局

武昌時中書社　北京佩文齋　濟南齊魯書社　濟南教育圖書社

（各省各新書店及中華書局均有代售）

花木蘭文化出版社聲明啓事

此次《民國文學珍稀文獻集成》出版，有賴各位作者家屬大力支持，慨然允贈版權，遂使這巨大的文化工程得以開展。我社全體同仁在此向各位致以誠摯的謝意！

由於民國作者人數眾多，年代久遠且戰火頻繁，許多作者已無從知其下落。我社傾全力尋找，遍訪各地，能夠找到的後人，得其親筆授權者，爲數甚寡。更多的情況是，因作者本人下落不明，連版權情況都無從知曉。

因此，我社鄭重聲明：

此叢書所錄專著，凡有在版權期內而未授權者，作者家屬可與我社聯繫，我社願奉送相關贈書 50 冊爲報酬，補簽授權協議。

叢書第一輯，版權不明作者名單如下：

李寶樑、朱采眞、黃俊、汪劍餘、ＣＦ女士（張近芬）、王秋心、王環心、謝采江、曼尼、歐陽蘭、陳勣、沙利、卜弋雲、陳志莘。

望以上作者之家屬看到此通知後與我社聯繫。

聯繫信箱：hml@vip.163.com

花木蘭文化出版社

2016 年春